沖縄ビジネス
パーソンのための

悩み解決に役立つＰＲ的思考術

ＰＲプランナー
吉戸三貴　著

ボーダーインク

はじめに

ＰＲのテクニックを使って
沖縄のビジネスシーンに役立つ本を！

はじめまして。吉戸三貴《よしどみき》です。ちょっと変わった苗字ですが、那覇出身のうちなーんちゅです。職業はＰＲプランナー。沖縄と東京を拠点に、ＰＲの専門家として企業・自治体のコンサルティングや研修などをしています。

最初に、簡単な自己紹介をさせてください（30秒くらいで読めます）。

極度の人見知りだった私がＰＲの世界に入ったのは27歳の時。フランス県費留学から帰国後、沖縄美《ちゅ》ら海《うみ》水族館の広報として採用されたのがきっかけです。こんなに面白い仕事があるのか！と夢中になり、沖縄で初めてＰＲプランナー資格を取得して東京の代理店に転職しました。２０１１年に表参道で小さなＰＲ会社を立ち上げ、沖縄では県の事業で委員を務めたり公社の専門家として中小企業の支援をしたりしています。仕事の傍ら社会人大学院にも通い、２０１９年春には日本初の広報・情報学修士号を取得しました。好きなものはお菓子、苦手なものは運転です。

あっという間に30秒たちましたね。

もうちょっと読んでもいいよと思っていただけるなら、ここで1つ質問があります。
「PRって何?」と聞かれたら、あなたはなんと答えますか。
正解は1つではありませんが、私は「関係づくり」という言葉を選ぶことが多いです。PRはPublic Relations（パブリック・リレーションズ）の略。簡単に言うと、**企業などの組織と、そこに関わるすべての人や団体の間に良好な関係をつくり維持する活動です。**顧客、従業員、地域社会、メディアなど、さまざまな関係先なくして経営は成り立たないので、PRはとても大切です。

「へぇ、経営に関わるなら興味ある」という方も、「うーん、自分は会社員だから関係なさそう」という方も、よかったら、あと1分だけお付き合いください。

ＰＲ歴16年の私がこの本を書こうと思った理由は、ＰＲ（関係づくり）の考え方が、県内の企業と、そこで働く人の課題解決に役立つかもしれないと考えたからです。

これまで、たくさんの沖縄の企業と仕事をしてきましたが、**人間関係や情報発信など、沖縄ならではのビジネスの悩みがあると感じています。**

仕事相手から**「沖縄の会社（人）は表現が下手で、いろいろなチャンスを逃している」**という話を聞くことも多く、ＰＲの力で、たくさんの人がその壁を乗り越えるお手伝いをしたいと思うようになりました。

手伝うなんて偉そうに言いましたが、私自身、東京で働き始めた頃は毎日怒られてばかりでした。「言ってることが分からない！」「それでもリーダー？」と早口でまくしたてられて落ち込むこともしばしば。でも、ＰＲの仕事で学んだ関係づくりの考え方や行動を実践するうち、少しずつ、自分の考えていることを効果的に伝えて、相手の気持ちを動かせるようになっていったのです。

十数年かけて気付いたことを、できるだけ分かりやすく皆さんと共有したい。「相談があるんです」。そう言って、あなたが事務所を訪ねてきてくれたら、どう答えるだろう。そう考えて、一問一答のスタイルで書きました。沖縄のビジネスパーソンからの悩みに答えていますが、解決のヒントとして示した考え方は、他の地域でも参考にしていただけるものだと思います。

それぞれの回答の最後には、プラスアルファのＰＲ知識などをご紹介するミニコラムが付いています。読んでくださる方にとって、働き方や人間関係の悩みが少し軽くなったり、自社（自分）のＰＲに役立つヒントが見付かったりすることを目指しました。あなたご自身はもちろん、部下や後輩からアドバイスを求められた時に「こういう考え方もあるよ」と使っていただけたら嬉しいです。コーヒー（さんぴん茶でもＯＫ）片手におしゃべりするような気持ちで、リラックスしてページをめくってみてください。

17．アイディア豊富な人になる「頭の整理術」……122

Q　新しいことを考えるのが苦手です。アイディア豊富な人になるには、どんなトレーニングをしたらいいですか。

POINT　1　素材になる情報をインプットする

POINT　2　アウトプットを繰り返す

PRミニコラム　#情報収集　#企画

18．モチベーションを上げる「セルフ給油」……128

Q　最近、仕事のモチベーションが上がりません。やる気を出す方法が知りたいです。

POINT　1　「満タン」を目指さない

POINT　2　セルフ給油の習慣をつける

PRミニコラム　#モチベーション　#自己管理

19．会議で「発言できる自分」になる方法……134

Q　会議など大勢の人がいる前で発言するのが苦手です。一言も発しないまま終わることもあります。どうしたら変われますか。

沖縄ビジネスパーソンのための

悩み解決に役立つＰＲ的思考術

Public Relations
1

要約する力がつく「一言まとめ」トレーニング

Q 上司に報告をすると、「話が長くて分かりにくい」と注意されます。どうしたら要領よく説明できるようになりますか。

私も、東京のＰＲ会社に転職したばかりの頃、同じことで悩んでいました。

上司からは「プレスリリースのタイトルが意味不明！」と怒られ、お客様には「結論は何ですか？

吉戸さんの話は回りくどい」と言われていました。

十数年前のことですが、今思い出しても恥ずかしくなるくらいダメ出しされていたのです。

POINT 1 「一言まとめ」の練習をする

このままではいけないと焦った私が始めたのが「一言まとめ」トレーニングです。

やり方は簡単。自分に「一言でいうと？」と質問して、心の中で答えるだけです。

日常のあらゆることをお題にして練習を重ねました。


プレゼンがあるから、お気に入りのスーツで気合を入れよう

↓

（今日のファッションを一言でいうと）

プレゼン必勝コーデ

新聞記事「パーソナルトレーニングを受ける経営者が増えている」

↓

（流行っている理由を一言でいうと）
効率的だから

15時からプロジェクトリーダー会議がある

↓

（会議の目的を一言でいうと）
成功事例の共有

最初は上手くできずにストレスを感じることもありましたが、根気強く続けるうちに、少しずつ上司から注意される回数が減ってきました。

要点をつかんで短く言い切る練習をすることで、情報をまとめて伝える意識が高まったからです。

POINT 2　最初は2ステップで試してみよう

練習する中で気付いたのは、「一言まとめ」は、内容を理解して、それを表現する言葉を探すという二段階で考えると取り組みやすいということです。

ステップ1　キーワードを抽出する
ステップ2　最適な言葉で表現する

まずはステップ1。
お題に選んだ出来事を表す「キーワード」を探します。さきほどの例なら

●プレゼンがあるから、お気に入りのスーツで気合を入れよう
↓

ステップ1　キーワード　**「プレゼン」　「勝つ（勝ちたい）」　「服装」**

「プレゼンテーションで結果を出したいから、それに合った服を着るということだな」と考えて、3つに絞りました。ポイントは、これがあれば内容の大事なところは押さえられるという言葉を選ぶことです。キーワードの数は、2〜3個が覚えやすく整理しやすいでしょう。

要点をつかむことに慣れてきたらステップ２へ。抽出したキーワードをできるだけ短くまとめます。

●プレゼンがあるから、お気に入りのスーツで気合を入れよう

←

ステップ１　キーワード「プレゼン」「勝つ（勝ちたい）」「服装」

←

ステップ２　今日のファッションを**一言でいうと「プレゼン勝負服」**

組み合わせるだけで完成することもあれば、分かりやすく言い切るために新しい言葉を探した方がいい場合もあります。ステップ２は語彙力も関係するので、すぐに上達しなくても焦る必要はありません。難しい時はパスして次のお題に取りかかりましょう。ステップ１ができるだけでも、情報を整理する力はぐっと上がります。

Public Relations

ミニコラム

#情報整理　#プレスリリース　#説明力

プレスリリースのタイトルを考えたり端的に商品の魅力を伝えたりと、PRの仕事ではしばしば限られた時間で要点をつかみ的確な言葉で表現することが求められます。PR会社では複数のプロジェクトを同時進行するので各案件に瞬発力を持って臨む必要がありますし、忙しい記者に興味を持ってもらえる説明ができなければ、クライアントの商品やサービスを取り上げてもらえないからです。**情報を整理して言葉にするスキルは、さまざまな場面で役立ちます。**あなたが現場マネージャーならトラブル発生時に迅速に報告して上司の指示を仰ぐことができますし、アーティストなら作品に込めた思いをお客様に効果的に伝えられるでしょう。最初は少し時間がかかるかもしれませんが、料理と同じで慣れてくると感覚的にできるようになります。冷蔵庫にあるものでサッとおいしいものが作れると時短になるように、大事なポイントを上手く説明できるようになると仕事全体の効率もアップします。

あなたの仕事が、よりスムーズになる「一言まとめ」トレーニング、よかったら試してみてください（一言でいうと、実践あるのみです）。

Public Relations

2

思わず参加したくなる「イベント企画」の作り方

Q　会社で新商品の販売促進イベントを開催します。できることをすべて盛り込み楽しくしましたが、申し込みが少なく悩んでいます。

お客様に楽しんでもらいたい気持ちが伝わってきます。ただ、「できることをすべて盛り込み」が気になります。もしかしたら、要素が多すぎて魅力が伝わりにくくなっているのかもしれません。沖縄でPRの仕事をしていると、頑張って詰め込んだ結果、何がしたいのか分からなくなった企画に出合うことがよくあります。

POINT 1 「誰にでも」と思うと、誰にも届かない

そんな時にするアドバイスが「幕の内弁当ではなく、豚丼を作ろう」です。

幕の内弁当 → おかずの種類が多く万人受けする。メインが分かりやすい弁当に比べるとインパクトが弱い。

豚丼 → 肉料理を食べたい人に強くアピールできる。それ以外の人に手に取ってもらえる可能性は低い。

お弁当としてはどちらも魅力的ですが、イベントの場合は特長を明確に打ち出した豚丼スタイルがおすすめです。

ここで1つ例を挙げます。県内のウェディング会社が、カップルにチャペルの雰囲気を味わってもらうイベントを開催するとします。幕の内スタイルで、できることを少しずつ盛り込むとどうなるでしょう。

「幕の内スタイル」でまとめた例

> ハッピーウェディング★
> フェスタ開催！
>
> 式場の予約はお済みですか？
> 海が見えるチャペルでの新作ドレスファッションショー、ミニライブ、試着＆撮影会、料理の試食、バルーンアート体験など、楽しみながら式場を選びませんか？
> 体験はすべて無料です！
> 当日ご成約の方にドレスレンタル割引券とクッキー詰め合わせをプレゼント！

にぎやかで楽しそうですが、まさに自分たちのためのイベントだと感じて足を運ぶ人は少ないかもしれません。たくさんの人に来てもらおうとして、自社でできることをすべて入れて、メインが曖昧になっているからです。

POINT 2　開催目的に合った「メイン」を決めよう

では、豚丼のように特長が分かりやすいイベントにするにはどうしたらよいのでしょうか。最初にすることは、開催の目的と参加してほしい人物像の整理です。

> 目的：新規顧客の獲得（まずは、今回のイベントに参加してチャペルを見てほしい）
> 対象：オリジナリティにこだわる30代のカップル

次に、どんな内容なら対象カップルが参加したくなるかを考えます。今回は「他ではできない体験に関心があるのではないか」という仮説を立てました。

そこで組み立てたイベント例がこちらです。

「豚丼スタイル」でまとめた例

週末限定オープン！
星降る夜のカップルヨガ

人生の大切な節目を迎えるお二人のための特別企画。沖縄で“ここだけ”の360度ガラス張りのチャペルで、夜空と海に溶け込むようなロマンチックなナイトヨガ体験をお楽しみください。
自社農園で育てた無農薬ハーブティー「Something Blue」（リラックスブレンド）のお土産付。

目的と対象を明確にして要素を絞り込んだことで、施設の魅力が伝わりやすくなりました。もう少し範囲を広げたい、人数を増やしたいという場合も、最初にしっかりメインを決めておけばブレにくくなります。メインを何にするかで迷ったら、来てほしい人に一番合うものを選びましょう。

Public Relations
ミニコラム

#企画　#ニーズを理解する　#切り口

私も30代になるまでは企画の立て方が分からず失敗ばかりしていました。当時はとにかくアイディアを出せばいいと思っていて、なぜ開催するのか、誰にとって特別なものにしたいのか、そのために何を中心に据えるべきかという視点が欠けていたからです。迷走状態から抜け出せたのは、東京のＰＲ会社で働いていた時に、商品の切り口（見せ方）を考え抜くことの大切さを学んだからです。

たとえば、新作クッキーを女性誌に取り上げてもらいたいなら「おしゃれな手土産」として提案しますし、業界紙の場合なら「特許をとった製法で作られたクッキー」であることを強調します。商品やサービスの中身は同じでも、情報の切り口を変えることでメディア掲載の確率を高めることができます。あれもこれもと欲張って全部伝えようとせず、**一番興味を持ってもらえそうな要素を目立たせることが重要です。**どうしても迷う時は、内容の検討に入る前に目的や対象を整理しましょう。「なぜ開催する？」「誰向けのイベント？」「何があれば興味を持ってもらえる？」などの質問をリストアップして、答えを書き出したメモを準備するのです。時々メモを見ながら軌道修正すれば、メインがはっきりした分かりやすいイベントになるはずです。

Public Relations 3

説明上手への近道
「大から小へ」テクニック

Q　新人にレクチャーをしていますが、かみくだいて説明しても理解してもらえません。どうしたらいいですか。

何事も初心者に教えるのは難しいものです。初めてということは経験に基づいた予測機能が働かないので、理解に時間がかかってしまうからです。

教える側が工夫できることの1つに「大から小へ」説明する方法があります。聞く人が頭を整理しやすいように、全体像から話し始めて、徐々に細かい情報を伝えていくのです。

POINT 1　説明は大きいことから、小さいことへ

もし、初めて沖縄に来る友人から、空港から美ら海水族館まで車で行く方法を聞かれたら、どう説明しますか。

実際に、県内在住の知人に質問してみました。

● **返ってきた答え**

「空港の近くから高速に乗って、西原ICを通って名護で降りたらいいよ。許田の道の駅はソフトクリームがおいしいよ。国道は海沿いに走るのが分かりやすいかな。自分は山沿いのルートを使うことが多いけど」

那覇出身の私はすぐに理解できましたが、時間や場所の感覚がない人には伝わりにくいかもしれません。

では、こんな風に整理するとどうでしょう。

●「大から小へ」を意識した答え

「空港から水族館までは高速利用で約2時間。豊見城・名嘉地ＩＣから入って許田ＩＣで降りてね。そこからは一般道。水族館は、本部町の海洋博公園の中にあるから、公園や水族館のサインを目印にすれば迷わずに着けるよ」

最初に、空港から目的地までのアクセスをざっと説明した後、利用するインターチェンジの名称や目印の情報を加えています。最初の答えと比べると理解しやすくなったのではないでしょうか。

× 頭に浮かんだまま、自分が話しやすい順番でそのまま話す

○ 大から小へを意識して、ざっくりした説明から細かい説明へと移る

相手が初めて受け取る情報を処理しやすいように、整理して渡してあげるイメージで話しましょう。

POINT 2　自分も楽になる「型」を使って話す方法

相手が理解しやすいように情報を並べ替えることはビジネスシーンでも重要です。私は、セミナーなどでは、分かりやすい「型」を使うようにしています。

●大から小への型

①最初に大きな流れを示す

「これから、プレスリリースの基本について説明します。所要時間は1時間。講義30分、ミニワーク20分、質疑応答10分の構成です。今日のゴールは、プレスリリースを構成する要素3つと、作成のおおまかな手順が分かることです」

←

②項目ごとに具体的に説明する

「では、プレスリリースの構成要素を3つご紹介します。その後、作成手順についてお話しします。1つ目の要素は…、2つ目は…、3つ目は…です。次に、作成の手順ですが……」

←

③まとめる

「最後に、今日のセミナーの内容を3点でまとめます」

まとめは、情報量が多い時や、押さえてほしいポイントを強調したい時に加えます。

短い説明の場合は②までで終わることもあります。


一番大切なのは①の部分です。

最初に所要時間や概要を伝えることで、相手に「ああ、これから、こんな風に説明が進むんだな」と気持ちの準備をしてもらうことができます。

人は自分が詳しい（と思っている）分野ほど、説明不足になる傾向があります。

大切なのは、相手にちゃんと伝わるかどうか。

大から小へ、理解しやすい順番で適切な量の情報を提供することを心がけましょう。

Public Relations

ミニコラム

#プレスリリース　#セミナー　#説明力

プレスリリースを書くコツに「逆三角形」があります。

プレスリリースは自社の製品やサービスなどの情報を提供するための資料で、新聞やＷＥＢなどメディアで取り上げてもらうことを目指して作成しますが、多忙な記者や編集者に関心を持ってもらうのは簡単ではありません。

目に留めてもらう工夫の１つが、**最初に、大きなこと、大事なことを書くことです。**

「○○初！」など強調したいキーワードは必ずタイトルに入れますし、冒頭の数行を読むだけで全体像がつかめるような書き方をします。「ニュースになりそう」「面白そう」と思ってもらえて初めて、文章の続きを読んでもらうことができるからです。

説明する先がメディアでも新入社員でも、大事なことは、相手にとっての分かりやすさを最優先することです。

自分では丁寧にしっかり説明したつもりでも、初めて聞く人にとっては情報が多すぎて混乱しただけということもあり得るのです。

とにかく、大きなことから。相手が「なるほど、それで続きは？」となってから、次の説明をしましょう。

その流れを意識するだけでも伝わりやすくなりますし、教える側のあなたの負担もきっと軽くなります。

Public Relations

4

ミスを減らして「信頼度」をアップする方法

Q　日頃から誤字脱字などのミスが多く、先輩から注意されます。大事なところが正しければいいと思うのですが、ダメですか。

結論から言うと、ミスはできるだけしないほうがいいです（つまりダメです）。

理由は2つあります。

ひとつは、どんなに内容がよくても間違いがあると資料全体への信頼度が下がるから。

もうひとつは、「あの人はミスが多い」というイメージが付くと、あなた自身の評価まで下がる可能性があるからです。

POINT 1　まずは、ミスの傾向を知ることから

ミスを進んでする人はいません。自分では正しいつもりだったのに、実際は間違っていたというケースが大半ではないでしょうか。私は、沖縄でビジネスパーソン向けのPRゼミを開催していて、毎月、数十件の課題を添削しています。その中で、間違いが発生しやすいと感じるポイントを整理してみました。

1　**認知の段階で間違える**

例：真栄田さんを「前田さん」（×漢字が違う）と覚えてしまう

2　**書く段階で間違える**

例：真栄田さんが、明日いらっらいます（正しくは「いらっしゃいます」）

3　**確認段階で間違いを見逃す**

名刺を見たり、読み返したりすれば防げるはずが、確認不足で見逃してしまう

実は、こうした間違いは誰にでも起こり得ることです。私も、転職して上京したばかりの頃、取材の案内状でまったく違う2つの地名（青海と青梅）を間違えて、こっぴどく叱られた経験があります。上司が見付けてくれなかったら、メディアが誰ひとり会場に来ないという大惨事になるところでした。一度もミスをしたことがないという人は滅多にいません。大事なのは、自分が間違いやすいポイントを知り、それに合った対策をとることです。

POINT 2　すぐできて、ミスが減る3つの工夫

では、どうすればミスを防げるのか。

さきほどの3つの段階それぞれで、できることを考えてみましょう。

1　**認知の段階で間違える**　←

思い込みで記憶しないように、名刺や公式サイトなど確実な資料で「1文字ずつ」確認します。さきほどの例なら「真（ま）」「栄（え）」「田（だ）」のように区切りながら確認すると、先入観に惑わされにくくなります。

2　**書く段階で間違える**　←

PCやスマホを使う機会が増えているので、書き間違いというよりは、打ち間違い、変換

ミスと言えるかもしれません。固有名詞を変換辞書に登録したり、改行や箇条書きで文章を小分けにしたりするとミスを防ぎやすくなります。

3　確認段階で間違いを見逃す　←

間違いがあっても、この段階で発見できればセーフです。少し時間をあけて読み直す、ゆっくり音読する、第三者にチェックをしてもらうなどするとよいでしょう。大事な書類の場合や時間が十分ある時は、すべて実行してもＯＫです。

大きなミスをして以来、私はセルフチェックを強化すると同時に、できるだけ他の人の力も借りるようになりました。会社で同僚にリストの読み合わせに付き合ってもらったり、修正があってもすぐに対応できるように余裕を持って上司に確認をお願いしたりするようになったのです。

Public Relations

ミニコラム

#企業広報　#リスクヘッジ　#評判づくり

間違いは誰にでもありますが、数が少ないに越したことはありません。もし、会社案内に誤字脱字がいくつもあったり、プレスリリースで固有名詞や製品情報を間違えたりしたら、企業の信用に傷が付くかもしれません。少なくとも、取引先やメディアからは「この会社、大丈夫かな」と思われてしまうでしょう。うっかりミスが原因で、会社の素晴らしさや、あなた自身の頑張りが伝わらなくなるのはもったいないと思います。細かい確認は苦手だし、広報担当じゃないからいいよねという方もいるかもしれませんが、チェックを習慣化するだけで、**あなたが手がける仕事全体への信頼度がアップするとしたら、やって損はないと思いませんか。**「このくらいなら、いいよね」という感覚は他のところにも影響します。ミスが多い印象を与えてしまい知らないうちにチャンスを逃すこともあれば、あの人に任せれば安心だと思われて念願のプロジェクトメンバーに選ばれることもあるでしょう。ミスとの付き合い方は「怖れず、侮らず、気負わず」くらいが丁度いいです。怖がりすぎず、でも、気は抜かずにチェック体制を整える。たかがミス、されどミスです。今よりほんの少し気を付けて、あなた自身の評価につなげていきましょう。

Public Relations

5

文章がスッキリする「型」と「ルール」

Q

報告書が不得意です。読みにくいと言われるのですが、どこを直したらいいのか分かりません。どうすれば文章を上手く書けますか。

最初にお伝えしたいのは、文章を書くのが苦手でも、読みやすい報告書は作れるということです。ビジネスシーンで情緒ある美しい文章を求められる機会は滅多にありません。目的に沿っていて、事実や意見が簡潔にまとまっていれば合格ラインでしょう。今回は、報告書作成に役立つコツを「基本」と「応用」に分けてご紹介します。

POINT 1 【基本】書きやすい「ひな型」を作る

最初に、書く時の型を決めます。枠組みがあると、出だしや文章のつなぎで迷わなくなり、内容に集中できるからです。

自社と競合するケーキ店「パティスリーABC」視察の報告書を作成するという設定でご説明します。

おすすめの「ひな型」は、1. 導入、2. 本文、3. 締めの三部構成です。

導入

本文

締め

● パティスリーABC 視察報告

昨年1月にオープンし、短期間で人気店となった競合店「パティスリーABC」（那覇市）の視察結果について報告する。詳細は以下の通り。

日時：2020年4月6日（月）13：00～13：30
場所：パティスリーABC（那覇市松山1-1-1）
視察内容：一般客として商品を購入し、接客や商品ラインナップをチェックした。パティスリーABCの特長として挙げられるのは、①……、②……、③……である。来店客にとって、品揃えとサービスのよさが大きな魅力になっていることがうかがえる。

今回の視察で、パティスリーABCが支持される理由を知ることができた。②・・・については自社店舗でもすぐに取り組めることから、来月の店長会議で提案を行う予定である。

全体を3つに区切ることで、言うべきことが明確になります。情報量が多い場合は、本文部分をさらに分けて、「写真1枚＋200字の説明」×3セットのように整理します。導入と締めは100字程度で書くようにするとスッキリします。会社規定のフォーマットや慣例的な書き方がある場合は、過去の文例を参考にしましょう。社内で評価が高い報告書をお手本にするのが上達の近道です。

POINT 2 【応用】書き方にルールを設定して、さらに読みやすく

報告書の型ができて、ある程度書けるようになったら、次は読みやすくするコツを試してみましょう。

本文の中で①……、②……、③……で示した部分についてご説明します。

●普通の書き方

パティスリーABCの特長
①ケーキ類
フルーツタルトやショートケーキ、チーズケーキなど種類が多く、幅広い年代が来店している
②ギフトセットがある
箱と焼き菓子を選んで詰め合わせが作れる
③笑顔
おもてなしの心を大切にしている

箇条書きで3点にまとめたので、ある程度は整理されていますが、特長として同列に並べている割には書き方にばらつきがあります。これを一定のルールで整理し直すとこうなります。

●ルールのある書き方

パティスリーABCの特長
①ケーキの種類が豊富
定番商品から季節のタルトまで常時20種類が並び、老若男女に支持されている
②ギフトセットが充実
焼菓子（10種類）と箱（5種類）を選び、予算に合ったオリジナルセットが作れる
③スタッフが好印象
4人体制。笑顔が自然でアドバイスも的確。初めてでも心地よく買い物ができる

項目や説明の長さ、名詞の使い方をできるだけ揃え、各項目に数字を入れることで統一感が生まれました。ひな型を使い、文章を一定のルールで書くようにすると、かなり読みやすくなります。

Public Relations

ミニコラム

#情報整理　#ライティング

「3つにまとめなさい」

PRプランナーになったばかりの頃、先輩からもらったアドバイスです。

新サービスの魅力を3点に絞って紹介する、メディア掲載の確率を高めるために「自社商品1つ＋類似商品2つ」のセットにして世の中のニーズに合っていることを伝えるなど、**「3」は、さまざまな場面で役立つマジックナンバーです。**

今回は、全体を3つに分け、共通ルールも使って読みやすくする方法をお伝えしました。文章を書く時に小分けにして整理する方法は、報告書以外でも使えます。1000字（原稿用紙2枚半）の原稿を書く場合でも、導入200字、本文200字×3セット、締め200字と考えれば進めやすくなるのではないでしょうか。同じひな型を使い続けると慣れてきますし、報告書を受け取る上司も流れを予測して読むようになるので、より伝わりやすくなります。私もプレスリリースや原稿（この本も！）を書く時は、小分け作戦を使っています。

漠然と上手くなりたいと思うだけでは何も変わりません。まずは基本の型を使うことから始めて、応用編の書き方ルールを取り入れるなど少しずつ実践していきましょう。マイルールができると、報告書以外の文書も慌てずに作成できるようになりますよ。

Public Relations

6

得意分野を活かして「印象に残る人」になる

Q　営業担当ですが、口下手なのが悩みです。お客様と会っても、なかなか覚えてもらえません。コミュニケーション上手になりたいです。

話が上手い人、うらやましいですよね。私も長い間、同じことで悩んでいました。会話のテンポがいい人の話し方を真似してみたこともあるのですが、まったく上達しませんでした。試行錯誤の末たどりついたのが、上手く話すことは一旦諦める！という選択肢。印象を残す別の方法を見付けようと考えたのです。

POINT 1　コミュニケーションを「前」「中」「後」に分ける

仕事のコミュニケーションを「会う前」「会っている最中」「会った後」で考えてみましょう。
たとえば、新しい取引先に打ち合わせに行くという場合なら、

- **会う前**　メールで、訪問の約束をして日時を決める
- **会っている最中**　実際に会って、打ち合わせをする
- **会った後**　メールで、お礼を伝えたり打ち合わせメモを送ったりする

のように整理します。こうしてみると、口下手で損をするのは「会っている最中」だけということが分かります。時間的にはそこが一番長いのですが、会う前後にできることもいろいろあります。

●会う前

・取引先のサイトを見たり、社長インタビューを読んだりして話題を探す
・日時の約束をする際に、訪問を楽しみにしている気持ちを伝える
・打ち合わせ当日に持参する資料の完成度を上げる

●会った後

・時間を割いてもらったことへの感謝を伝える
・簡潔なメールで、分かりやすい議事録を送る
・追加資料の送付など、迅速な事後対応を心がける

事前の印象がよければ名刺交換の緊張も和らぎますし、打ち合わせの最中に存在感を示せなくても、後でしっかりした対応をすれば「控えめだけど、できる人だな」と感じてもらえるかもしれません。

最近はオンライン会議の機会も増えていますが、その場合でも、約束する、話す、メモを送るという流れは共通しているので同じように意識すればＯＫです。

POINT 2　自分の「得意」の磨き方

会話に自信がなかった私が選んだ方法は、会った後に手書きのお礼状を送ってフォローすることでした。お礼状を選んだのは、小さい頃から手紙が好きで、書くのが苦にならなかったからです。

最初は感謝の気持ちを伝えるために何気なく始めたのですが、

「いまどき、手書きのお礼状を送ってくるなんて驚いた」

「嬉しかったから、ずっとデスクに貼ってるよ」

と連絡が来るようになり、これが自分の得意なコミュニケーション方法だと気付いたのです。楽しみながら続けていると、徐々に、「ああ、お礼状をくれた吉戸さんね」と名前を覚えてもらえるようになりました。今日は上手く話せなかったなぁという時でも、会った後に送るハガキ1枚で印象付けられるようになり、新しい仕事につながる機会も増えました。

私の場合は手書きのお礼状でしたが、資料作成が得意なら打ち合わせメモで力を発揮する、声に自信があるなら電話で話す機会をつくるなど、自分に合った方法を選べばOKです。

Public Relations

ミニコラム

#コミュニケーション　#強みを活かす

誰だって、弱みもあれば強みもあります。自分はここが得意だな、周囲の人が喜んでくれるなというものを見付けたら、そこを磨いてみませんか。ダメなところではなく、よいところに目を向けるのです。

PR活動においても、「よいところ探し」は大切です。クライアントの商品やサービスすべてが、世界初！など分かりやすい特長のあるものとは限りません。パッケージ変更のみで話題性がない、専門技術が難解で取材しにくいなど、最初に話を聞いた段階では難しさを感じるケースの方が多いくらいです。そんな時でも、**どこに光を当てたら最も魅力が伝わるかを精一杯考えます。**

日本一は無理でも分野を限定すれば沖縄で一番と言えそうだ、開発秘話や研究者のストーリーを添えると面白くなりそうだなど、さまざまな角度から強みや魅力を引き出すのです。

コミュニケーションは総合力です。自分が得意なことで頑張ればいいと前向きに考えてみませんか。口下手は決して悪いことではありませんが（むしろ、聞き上手なのかも！）、苦手意識があると、人と会うのが億劫になることもあるかもしれません。「私には、これがあるから大丈夫」、そう思える何かを見付けましょう。

Public Relations

7

初対面の緊張が和らぐ「簡単リサーチ」

Q　初めての人と会う時にかなり緊張します。会話が続かず、気まずくなることも多いです。緊張しないコツはありますか。

うなずきながら読みました。仕事柄たくさんの人に会いますが、私もいまだに初対面は肩に力が入ってしまいます。残念ながら、緊張をゼロにする方法は分かりませんが、少し和らげることはできます。大事なのは、相手に関心を持つこと。ちょっとした準備をするだけで、心の距離が縮まりやすくなります。

POINT 1　緊張する理由を考えてみる

そもそも、なぜ、初めて会う時に緊張するのでしょうか。相談者に話を聞いてみると

「一番ドキドキするのは初対面の時。2回目以降は少しリラックスできる」

「初回は、どんな人なんだろうと観察しながら話すので気が抜けない」

という答えが返ってきました。理由は人それぞれですが、この場合は、相手のことが分からないために不安を感じているようです。たしかに、何度も会ったことがある人なら適当な話題を選んだ

り、反応を予測したりできますが、初対面では難しいでしょう。

同じ道でも、昼間に歩くのと真っ暗でほとんど何も見えない中で歩くのでは感覚が違うように、情報が足りない状況で不安になるのは自然なことです。とはいえ、仕方ないと諦めてしまっては、いつまでたっても初対面の緊張をほぐすことはできません。

POINT 2 準備すれば、心に余裕ができる

そこでおすすめしたいのが、簡単なリサーチで情報不足を解消する方法です。初対面のシーンを、「誰に会うか知っている場合」と「知らない場合」に分けて考えてみました。

●誰に会うか知っている（商談など）

これから会う人の所属企業や名前が事前に分かる場合は、会社のウェブサイトや本人のインタビュー記事などに目を通します。予備知識があるだけでも安心感は増しますが、もう一歩踏み込むなら、共通の話題や相手が関心のありそうなテーマも調べて、会話に盛り込む準備をするとよいでし

ょう。

会話例

「注目の社員インタビュー、拝見しました。学生時代はサッカーをされていたんですね。実は、うちの弟も……」

「ご出版おめでとうございます。早速買いました。フランス旅行のエピソードが最高で、何度も読み返しています」

●誰に会うか知らない（異業種交流会など）

その場に行かないと誰がいるか分からない場合は、先ほどのようなリサーチはできません。名刺交換をしながら短時間で共通点を見付けて話を広げる方法もありますが、緊張していると難しいでしょう。そんな時は「事後リサーチ」がおすすめです。会話の内容や名刺の情報をヒントに、次につながる話題を見付けましょう。お礼のメールに一言添えれば、印象アップにつながります。

メールに添える一言例

「先日はありがとうございました。教えていただいた星空イベント、早速行ってきました！」
「短い時間でしたが、お話できて楽しかったです。来月、貴社の講演会にお邪魔したいです」

誰しも、関心を持ってもらえるのは嬉しいものです。相手からの反応がよくなれば、あなたの緊張もほぐれやすくなるでしょう。

Public Relations
ミニコラム

#リサーチ　#コミュニケーション　#印象付ける

東京のPR会社に入社して驚いたのが、メディアに対する徹底的なリサーチでした。
たとえば「この新聞で、クライアント企業の商品を取り上げてほしい」と思ったら、署名入りの記事から関心を持ってくれそうな記者を探し出し、個別にコンタクトを取っていました。プレスリリースを数百件以上の宛先に送った上に、ここまでするんだとびっくりしました。

私も、新商品の洗濯用洗剤を紹介してもらいたいと考え、全国紙の生活面で育児連載をしている記者宛に手紙を送ったことがあります。連載を毎回読んでいることを伝えつつ、「お子さんの食べこぼしの洗濯で苦労されたというエピソードを読んで……」と、商品に興味を持ってもらえると思った理由を添えて、ぜひ一度話を聞いてほしいとお願いしたのです。会う時間を割いてもらえたおかげで商品のよさをしっかり説明することができ、その後、記者が持ち回りで書いているコラムで大きく取り上げてもらうことができました。

ささやかなリサーチが、仕事のさまざまな場面で緊張を和らげ、あなたのコミュニケーションをスムーズにしてくれるかもしれません。まずは、できる範囲から始めてみませんか。

Public Relations
8

作業時間を短縮する「タイム練習」

Q　一生懸命やっているのに仕事が終わりません。残業や翌日への持ち越しになってしまいます。効率よく進める方法を知りたいです。

やってもやっても終わらない。働く環境にそもそも問題が……というケースもあると思いますが、今回は、仕事の進め方が原因で処理が追いつかない場合の効率化についてお伝えします。

POINT 1　1日の仕事量を確認しよう

もし、トラブルもないのに常に仕事が終わらないなら、やるべきことを詰め込みすぎている可能性があります。まずは、1日に使える時間に対して作業が多すぎないか確認してみましょう。

たとえば、こういう例だとどうでしょう。

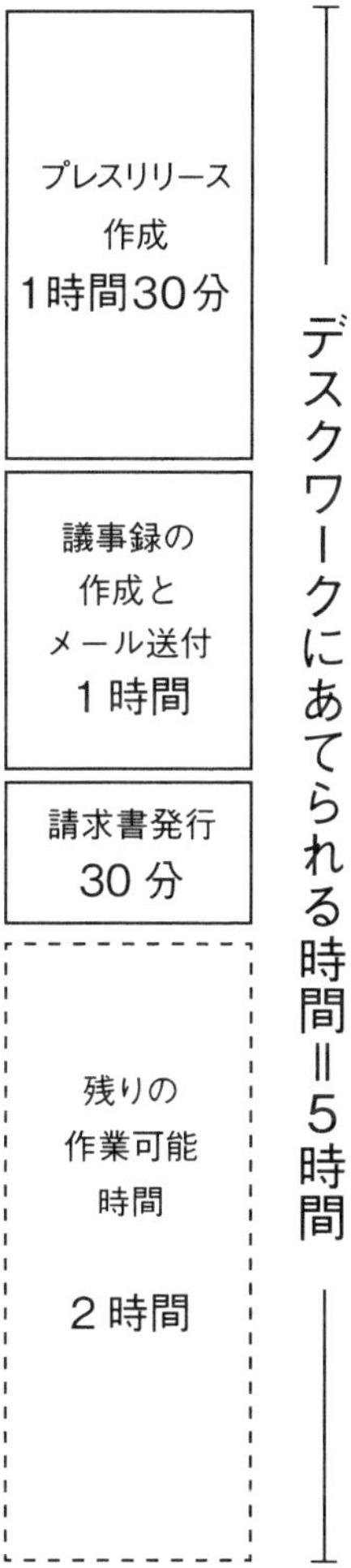

これなら、その日できるのは、最大で、プレスリリース作成2件、議事録の作成とメール送付1件、請求書発行2件（計5時間）です。会議や外出がある日は、デスクワークの時間をより短く見積もる必要があります。

実際は、こんな風にはっきりと分けるのは難しいかもしれませんが、使える時間とひとつひとつの作業タイムを意識することは、仕事を効率的に進める上で重要なポイントです。

どう考えても終わらない量を抱えていると感じたら、早めに上司に相談しましょう。分担の見直しをしたり進め方に関するアドバイスをもらったりして、1日の目標を再設定するのです。「こんなに頑張っているのに、どうして終わらないんだろう」という状態が続くと、疲れ切ってさらに効率が落ちてしまいます。

POINT 2　作業タイムを縮める練習法

実現可能な目標が決まったら、次は、各作業の時間短縮を目指します。

1．現状把握、2．目標設定、3．改善のステップで進めましょう。

ステップ1　現在のタイムを計る
（例：企画書作成1時間30分）
←
ステップ2　目標タイムを決める
（例：1時間15分で完成させる）
←
ステップ3　改善する
（例：構成15分、作成とデザイン45分、見直しと微調整10分、予備5分に挑戦）

現在のタイムは1時間30分で、目標は1時間15分。タイムを15分縮めることに挑戦します。なんとなく急ぐのではなく、作業をいくつかに分け、各パートの目標時間クリアを目指すと達成しやすくなります。

構成は時間内にできたが、作成とデザインの部分で5分オーバーしてしまったという場合なら、

「テンプレートを使うのはどうだろう」「ページ数を減らすとスピードが上がるのではないか」のように具体的な改善策を挙げ、効果があるかを試していきます。ゲーム感覚で挑戦すると取り組みやすいでしょう。

Public Relations
ミニコラム

#効率化　#資料作成

私が仕事にかかる時間を計るようになったのは、PRプランナー試験の受験がきっかけです。当時、沖縄で働いていた私は、県外受験の旅費を抑えるために3次まである試験をすべて一度でパスしたいと考えました。最難関は実技試験。制限時間内に、企画書とプレスリリースを完成させなくてはなりません。

それまで一度も企画書を書いたことがなかった私は、すぐに広告代理店勤務の先輩に助けを求めました。その時に言われたのが**「いきなり書かない。全体の構成と時間配分を決めてから手を動かす！」**でした。

最初はアドバイスの意味が分からず、思い付くままに書き進めていましたが、とにかく時間が足りません。力任せに頑張るだけではダメだと気付き、それからは、構成を5ページと決め、各ページの作成タイム短縮を目指して練習を重ねました。そのかいあって無事に合格。沖縄初のPRプランナーになることができました（先輩ありがとう！）。以来、仕事に取りかかる前には、必ず、目標と作業タイムを確認するようになりました。

「この資料なら1時間で作れる」のように、**自分のタイムが分かると時間管理がスムーズになる**ので、上司から「いつ出せる？」と聞かれても即答できるようになります。

頑張っても終わりが見えないストレスからの解放を目指して挑戦してみませんか。

Public Relations

9

ＳＮＳの使い方は「編集長」になったつもりで

Q　ＳＮＳの使い方が難しいです。どのくらい発信したらいいのか、上司の投稿にもっと「いいね！」をするべきか悩んでいます。

基本的には、SNSを使うかどうか、どの程度活用するかは個人の自由です。ただ、これまでは「やりたくない」で済んでいた人も、デジタル・コミュニケーションが増える中で、今後使わざるを得ない場面が増えるかもしれません。積極的な人にも消極的な人にもおすすめしたいのが、自分なりの運用方針を決めることです。

POINT 1　編集長になったつもりで考える

あなたは普段どんなメディアに接していますか。キュレーションサイトでその日のニュースをチェックして、好きな有名人の動画チャンネルを楽しんで、気になるまとめ記事を読んで……と、さまざまなものを見ているのではないでしょうか。メディアには運用方針があり、誰に何をどう発信するかを決める責任者がいます。雑誌なら編集長、テレビ番組ならプロデューサー、YouTubeなら登場するインフルエンサー自身がその役割を果たすことが多いでしょう。あなたも、自分のSNSをメディアとしてとらえて、その編集責任者になったつもりで運用するのです。

●学生時代の友人との連絡用にだけ使いたい場合

〈例〉
・連絡用なので投稿は月に1回程度
・つながるのは基本的に友人のみ
・仕事関係の人にはアカウントは教えない

●仕事関係を含め積極的に交流したい場合

〈例〉
・自分の得意なことや好きなものを、一定の頻度とクオリティで発信する
・社内外の人とできるだけつながり、面識のある人の友達申請はすべて受ける
・アカウントは検索できる状態にしておく
※ただし、仕事に関する発信には細心の注意を払う

メディアによって読者層や方向性が違うように、SNSの使い方にも絶対の正解はありません。目的や続けやすさを考えて、自分に合った方針を決めましょう。上司の投稿に「いいね！」をするかどうかも、あなたの方針次第です。

POINT 2 最低限のルールも決める

もう1つ大切なことは、「これはしない」という最低限のルールを作ることです。編集長として魅力的な発信をすることが「攻め」なら、こちらは「守り」です。SNSはあなたのよさを伝えるメディアですが、発信には責任が伴いますし、判断を誤ると大きな問題になることもあるので注意が必要です。私は、基本的にこういうことに気を付けています。

●確実に書いていいことしかアップしない

当然ですが、守秘義務は必ず守りますし、掲載OKなものしかシェアしません。一般に公開されている情報か、主催者の許可は得ているか、写っている人の許諾はもらっているか、著作権の侵害はないかなどを確認してからアップします。

●面と向かって言えないようなことは書かない

24時間で消えるから、限定公開だからと思っても、一旦外に出してしまったら、広がり方も受け取られ方もコントロールできません。沖縄では、友達の友達が大事な取引先だった、知らずにやりとりしていた人が高校の先輩だったなんてことも十分にあり得ます。迷った時は、リアルなコミュニケーションならどうするかを考えて落ち着いて行動しましょう。

●一時的な感情でアクションを起こさない

仕事で悲しいことがあった、衝撃的なニュースを見付けたなど、感情が高ぶった時は投稿しないようにしています。驚き、悲しみ、怒りなどが一定のラインを超えると冷静な判断ができなくなりますし、場合によっては間違った情報の拡散に関わってしまう可能性もあるからです。

Public Relations
ミニコラム

#SNS #メディア運営

SNSは、あなたというキャラクターを表現するメディアです。

自分はどんな人間か、周囲からどう思われたいか、そのために何を発信するのかを考えれば、ベストな使い方が見えてくるでしょう。

控えめに使いたいなら基本的に見るだけと決めればいいですし、しっかり活用したいなら、インスタグラムとフェイスブックで写真を変えたり人気の投稿を参考に文章やハッシュタグを工夫したりすることもできます。

どんな時でも大切なのは、目的と運用方針を見失わないことです。

あなたのSNSの編集責任者はあなた自身です。「趣味のコーヒーとサーフィンの話が中心」「いいね！は気軽にするが、基本的にコメントはしない」など、スタンスが明確になると周囲からの理解も得やすくなります。楽しくつながるためのツールで疲れてしまっては元も子もありません。ルールを守りながら、自分らしいスタイルとペースで活用しましょう。

Public Relations

10

関係がよくなる「与える」コミュニケーション

Q　社内外に友人や知人が多く、サッと連絡して助けてもらえる先輩がうらやましいです。どうしたらそんな風になれますか。

交友関係が広くて、電話1本、メッセージ1通でいろいろなお願いを聞いてもらえる。夢のような話ですね。でも、もしかしたら、あなたが目にしたのは先輩の人間関係のごく一部かもしれません。人気者の先輩は、相手の頼み事も快く引き受けるなど、日頃から「与える」コミュニケーションをしているのではないでしょうか。

POINT 1　相手のためにできることをする

関係づくりで大切なのは、相手の気持ちや状況を想像して、自分に何ができるか考えることです。こちらは何もせず要求ばかりしていては、いい関係を築くことはできません。私がこれまで会った中で、先に「与える」ことで、周囲から応援される人になった例を2つご紹介します。

● ムードメーカーのAさんの場合

ライターのAさんは、誰とでも仲良くなれるタイプ。彼がいるだけで場が和むので、仕事仲間から「食事会には必ず呼ぼう」と頼りにされています。いろいろな場に顔をだすうち、自然と知り合う人の幅が広がり「社内報のライティングをお願いしたい」など、原稿を頼まれる機会が増えたそうです。

●リサーチ力がすごいBさんの場合

広報職の彼女のすごさは、調べる力です。「パーティー会場が見付からない」「イラストレーターを探している」といった相談をすると、必ず的確な答えが返ってきます。簡単にはNOと言わない姿勢を尊敬している人も多く、滅多に相談をしない彼女から頼まれると、全力でサポートしたい気持ちになると言います。提供できる価値は人それぞれですが、「まず自分から」という考え方や行動が、周囲の人を動かしている様子がうかがえます。

POINT 2　自分らしい方法を考えて実行する

相手に「与える」のは、高価なものや特別なものである必要はありません。さきほどのAさんやBさんのように、自分が得意で、相手が喜んでくれることなら十分です。次の2つのことを意識すると、実践しやすくなります。

●**自分にできることを考える**

たとえば、沖縄のバーベキュー場のことなら誰よりも詳しい、お酒を飲まないので運転役を引き受けるのが苦にならない、企画書づくりが得意など、誰かの役に立てそうなことを探します。

●**与える準備ができていることを伝える**

できることが見付かったら、周囲にさりげなく知らせます。「県内でバーベキューをするなら、何でも聞いてください」「企画書づくり、いつでも手伝いますよ」など、役に立ちたい気持ちがあることを示します。

何ができるか分からないという場合は、これまで、誰かに頼まれたことを思い出してみましょう。

おすすめのレシピを聞かれたなら、料理上手だと思われている可能性が高いですし、プレゼンのコツを教えてほしいと言われたなら、話し方が上手いと評価されているのかもしれません。周囲があなたに期待していることに「与えられるもの」のヒントが隠れているはずです。

Public Relations
ミニコラム

#コミュニケーション　#メディアリレーション

ＰＲは、企業や団体と、そこに関わるさまざまな人や組織との「関係」を構築し維持する活動です。大事な関係先のひとつに、新聞やテレビなどのメディアがあります。企業はＰＲ活動の一環として、記者にプレスリリースを送って取材や掲載の依頼をしますが、その時に気を付けなくてはいけないのが、一方的なお願いにならないようにすることです。

こちらに都合のいい主張ばかりをして「取材に来てください！」としつこく連絡するばかりでは、関係づくりはできません。

読者や視聴者が興味を持ちそうな情報を提供する、自社だけではなく業界全体のことが分かる資料を作成するなど、**相手のことを考えたアクションが求められます。**

一見遠回りですが、広報担当として信頼してもらえるようになると、「この人のリリースなら目を通そう」「この前は取材に協力してもらったし、北部エリア特集があったら声をかけてみよう」など、記者や編集者に気に留めてもらえる可能性が高まるので、与える姿勢はとても大切です。

まずは、小さなことから始めて、少しずつ人のためにできることを増やしていきましょう。最初は、頑張りすぎて疲れたり、相手からの反応が鈍くてガッカリしたりするかもしれませんが、回を重ねるうちに、丁度いいバランスが分かってきます。見返りを期待せずに、あげっぱなしにするつもりでコツコツと続けてみましょう。きっといつか、人気者の先輩のように「助けてあげたい！」と思われる人になれますよ。

Public Relations

11

自己紹介が上手くなる「ストーリー術」

Q　自己紹介が苦手です。興味を持ってもらいたいのに、ありきたりの内容になってしまいます。どうしたら印象的にできますか。

講師を務めるセミナーの質疑応答では、自己紹介に関する質問がよく出ます。

特に多いのは、「人に言えるようなことがなくて困る」（内容）と、「人前に出ると緊張して上手く話せない」（話し方）の2つです。

今回の相談は前者ですね。あなたの魅力を引き出し、印象に残る話をするコツをお伝えします。

POINT 1　自己紹介のよくあるパターン

関心を持ってもらえるようなことが何もないんです……と言う方に多いのが、淡々と事実だけを並べるパターンです。

●事実だけを並べた自己紹介

初めまして。上原ゆうです。那覇市出身です。旅行会社で添乗員をしています。今年の夏休みは、家族とプライベートでイタリアに行きました。ワイン全般とピザが好きです。よろしくお願いします。

名前や職業、出身、趣味について話す、ごく一般的な自己紹介です。もちろん、これでもいいのですが、印象を残したいなら改善の余地があります。相手に興味を持ってもらえそうなキーワードを盛り込みましょう。

●印象的なキーワードを入れた自己紹介

初めまして。ABC旅行社で、世界中を飛び回る添乗員の仕事をしている、上原ゆうです。ピザが好きすぎて、今年はイタリアで1日3食ピザとワインという夢のような夏休みを過ごしました。よろしくお願いします。

さきほど「旅行会社」と説明した部分を具体的な名称に置き換えることで、社名を知っている人や旅行に興味のある人に関心を持ってもらう工夫をしています。その後も、世界中、イタリア、1日3食ピザなど、ちょっと気になる単語を並べて印象付けています。

ポイントは、知りたい、話を聞いてみたいと思ってもらえそうな要素を盛り込むことです。「剣道の県大会で一番になった」「沖縄で3人しかいない国際調理師」など、数字を入れてインパクトを出す方法もあります。

POINT 2　あなたの物語を考えてみよう

いいキーワードを思い付かないという場合は、事実と事実の間をつないで物語のように話す方法もあります。

もう一度、一般的な自己紹介を見てみましょう。

初めまして。上原ゆうです。那覇市出身です。旅行会社で添乗員の仕事をしています。今年の夏休みは、家族とプライベートでイタリアに行きました。赤ワインとピザが大好きです。

よろしくお願いします。

これを、流れを意識して組み立て直します。

●ストーリー仕立ての自己紹介

初めまして。旅行会社で添乗員をしている上原ゆうです。
父が小さい頃に作ってくれたピザに感動して、イタリアに行ける仕事を選びました。
今年の夏、ついにナポリでピザ三昧！という夢を叶えることができました。
よろしくお願いします。

幼少期のピザの思い出
←
イタリアを好きになり

旅行に関わる仕事を始めた。

という順に話したことで、淡々と事実を並べた時よりも、人となりが伝わりやすくなりました。

理想は、キーワードを盛り込みつつ、ストーリー仕立てにすることですが、どちらか一方を実践するだけでも効果はあります。

「会社員です」（事実だけ）よりも、

「メイド・イン・那覇にこだわる鞄メーカーで営業をしています」（キーワード）

「絵本に出てきた魔法のバッグに夢中になり、いつか鞄に関わる仕事がしたいと思っていました。念願叶って鞄メーカーで働いています」（ストーリー）

と言った方が印象に残ると思いませんか。

Public Relations

ミニコラム

#自己紹介　#ストーリー　#魅力を伝える

ストーリーという言葉は、ＰＲ活動でもよく使います。

新しい商品を開発した背景を説明したり、経営者が創業にかける思いを語ったりする時に、物語性があると、メディアやお客様の気持ちを動かしやすくなるからです。

ときには「世界初」など事実だけでインパクトを与えられる商品もありますが、多くの場合はサイドストーリーも話した方が、魅力が伝わります。

新商品の椅子を取材してほしいなら、「沖縄でもテレワークをする会社が増え、腰痛の相談が多くなっていることから、県産の木材を使った疲れにくいドクターズチェアを作った」のように開発の背景を説明します。

経営者の思いを伝えて就職希望者に共感してもらいたいなら、「浦添で食堂を営む両親の影響もあり、学生時代から食に関わる仕事をしたいと考えていた。『食を通じて子どもたちを応援する』をコンセプトに、小学生以下の子どもは全品無料のレストランを立ち上げ……」のように人間味が伝わる説明をします。

企業でも個人でも、**自己紹介は関係づくりの第一歩です。**関心を持ってもらえれば、また会いたいと思われたり、仕事につながるチャンスが増えたりするでしょう。

いつもの自己紹介を少しだけ見直して、あなたの可能性をさらに広げてみませんか。

Public Relations

12

初めての仕事を効率よく覚える「事例研究」

Q　異動先で、新しい仕事をなかなか覚えることができません。要領のいい同期との差が開きそうで心配です。アドバイスをください。

新しいことを始める時は、いろいろなことが心配になりますよね。自分だけが上手くできていないんじゃないかと焦ることもあると思います。

気持ちを落ち着かせたいなら、成功事例から学びましょう。お手本になる人や参考になる例を見付けて研究するのです。

POINT 1　事例が役に立つ理由

研究と書くとなんだか堅苦しく感じられますが、言い換えると「できる人を真似しましょう」ということです。習得のコツをつかんでいる人からヒントをもらうのです。

なんとなく手をつけてしまったり、とりあえず力任せに頑張ったりして、いつまでも結果が出なくて焦る……という悪循環に陥らないように、成功事例から学ぶ方法を3つのステップでご説明します。

ステップ1　お手本になる人を探す

周囲を見回して、あなたがこれから取り組む仕事をマスターしている上司や先輩を見付けましょう。いない場合は、近い分野で活躍している人や、新しいことを覚えるのが早い人を探します。

↓

ステップ2　じっくり観察する

お手本が見付かったら、仕事の進め方を観察します。「最初に基本的な本を何冊か読む」「不明点はこまめに確認する」など、その人が実践していることをメモします。可能なら、直接質問したり見学させてもらったりしましょう。

↓

ステップ3　お手本を真似する

上達のコツを発見したら、まずは同じようにやってみます。実践するうちに、「自分の場合は、資料を読む前に詳しい人に話を聞いた方が理解しやすい」など、アレンジしたいポイントも分かってくるはずです。新しい仕事を覚えるために何をすればいいかがはっきりすれば、エネルギーを効率的に使うことができます。

POINT 2　過去の自分から学ぶ方法も

身近に観察できる人がいない場合は、自分の成功体験を参考にする方法があります。これから学ぼうとしていることとは別の分野で、あなたが得意なことはありませんか。

学生時代、ノートの整理が上手いとほめられた。
↓
営業パンフレットを自分なりに整理した資料で説明すると自信が持てそうだ。

家族から、料理の手際がいいと言われる。
↓
何度も作るうちに自信がついたからだ。取引先に行く回数を増やして経験値を上げよう。

友達と一緒だと、苦手なヨガを続けられた。
↓
「人」がモチベーションになるのかも。他社の営業担当を誘って勉強会をしてみよう。

こんな風に過去の成功パターンを思い出すと、あらたな学びへのヒントが見付かることがあります。すべて解決！　とはいかないかもしれませんが、「自分はこのやり方が得意だから、少しアレンジすれば今回もできるかもしれない」という仮説を立てて挑戦すると、すぐに上手くいかない場合でも改善案を考えやすくなります。

Public Relations
ミニコラム

#事例研究　#効率化

広報の大学院に通っていた頃、授業でよく事例研究をしました。優れた事例から学べることは多いですし、それをベースに別の展開を考えることもできるからです。

たとえば、危機管理の対応なら「当時はこれでよかったが、今、同じことが起きたらSNSでの発信も必要になるだろう」「トップからのメッセージは、もう少し早い段階で出した方がより効果的なのではないか」のように発想を広げていきます。

新しいアイディアは知っていることの組み合わせから生まれるので、過去の成功例を知ることはとても大切です。

勉強になりそうな人や事例を見付けたら、「すごいな」「上手だな」という感想だけで終わらないようにしましょう。なぜ上手くいったのか、どの部分が評価されたのかを考え、「自社（自分）の得意分野を活かしてユーザー目線の商品を開発した点が素晴らしい」のように、成功の核になっている部分を見極める努力をするのです。

考えを整理して言葉にすると理解が深まりますし、要点を押さえることで実践もしやすくなります。

新しいことを覚えなくてはいけない、どうしよう……と焦りそうになったら、落ち着いてあたりを見回してみましょう。詳しい人が身近にいたり、自分の過去の成功パターンにヒントが隠れていたりするかもしれません。「何かを始める時は、最初に事例研究をする」と決めておけば、どんな状況でも慌てにくくなります。

Public Relations

13

成果が見えやすくなる「目標共有」のコツ

Q　仕事の成果を上司にアピールするのが苦手で、評価面談のたびに落ち込みます。どうすれば自分の頑張りを伝えられますか。

「これだけやりました！」と言い切るのはなかなか難しいですよね。自然体でできる人もいると思いますが、私も得意ではありません。謙遜しすぎたり、主張しすぎて罪悪感を覚えたり。会社員時代は面談のたびに居心地の悪さを感じていたものです。

そんな私が迷いながらたどり着いた「成果を伝えやすくなるヒント」を2つご紹介します。

POINT 1　まず、上司とゴールを共有する

最初に試してほしいのが、目指すゴールの共有です。

上司と「どうなれば成功なのか」「期待されていることが何か」についてしっかり話し合いましょう。この段階で行き違いがあると、頑張ったつもりなのに評価されないということが起きるので、すり合わせはとても重要です。

たとえば、与えられたミッションが「デジタル社内報を改善する」なら、何が問題で、どこを改善することが求められているのかを整理します。

上司「デジタル社内報、もっと分かりやすくしてほしいんだよね」
あなた「分かりやすく、というのは文章を読みやすくするということですか」
上司「いや、そもそもメールでリンクを送っても開封する人が少ないから、それをどうにかしたいんだ」
あなた「読んでくれる社員を増やしたい、開封率を上げたいということですね」
上司「そうそう。どんなに内容がよくても読んでもらえないと意味がないからね」

このように、質問を重ねて上司が何を求めているかを把握するのです。ここでは、社内報の読者を増やすことが求められていて、メール開封率がその指標であることが分かります。
「では、社内報を読む社員を増やすことを目指して、配信メールの開封率アップにつながる施策を考えます。現在10%なので、半年以内に20%にするという目標はいかがでしょう」のように確認すると、感覚的なズレが起きにくくなります。

POINT 2　次に、成果をアピールする

目標に向かって頑張った後は、いよいよ評価面談です。この場では、「共有したゴール」の確認から始めて、それに対してどのくらいのことができたかを説明すると伝わりやすくなります。

ミッション：より多くの社員にデジタル社内報を読んでもらう
指標　　　：配信メールの開封率アップ（現在10％→半年以内に20％まで向上させる）

これが今回、上司と共有した目標なので、それに対して結果がどうだったかを説明します。無事に達成できたら、「予定通り、20％までアップさせることができました。タイトルと配信時間の変更、朝礼でのアナウンスが功を奏しました」と堂々と成果を伝えればOKです。上司の要望に沿った形で結果を出したわけですから、高評価が期待できるでしょう。

残念ながら達成できなかった場合は、事実は認めつつ、原因と今後の対策を付け加えるのがおすすめです。「目標20％に対して、18％という結果で目標達成には至りませんでした。原因は、タイトル変更で効果が出た段階で安心して、さらに伸ばすための工夫が足りなかったことです。その後、20人の社員にヒアリングをしたところ、お昼前に来たメールは読むという意見が多かったので、今後は配信時間を11時台にするなど……」のように、これから取り組もうと考えていることを話すのです。仕事によっては数字だけで判断される場合もあるでしょうが、

①上司とゴールを共有する
②結果について定量（データなど）と定性（アンケートの結果など）で報告する

を心がけるだけでも、落ち着いて面談に臨めるようになります。

Public Relations

ミニコラム

#広告換算　#目標設定　#伝え方

どんな風に成果を示すかは、ＰＲ活動をする中でもしばしば議論になります。よく使われるのは「広告換算」という手法です。プレスリリースを送ったり話題づくりをしたりして、メディアに取

り上げてもらった時、その成果を「もし、この記事（映像）を広告で出すとしたら、どのくらい費用がかかるか」で計算するのです。

たとえば、新しい商業施設がオープンして、賑わっている様子が夕方のニュース番組で1分間流れたとします。その際の換算値は「ニュースが流れたエリアと時間帯で60秒のCM枠を購入する金額」になります。「〇〇円相当」という数字が出るので分かりやすいのですが、メディア露出だけでPR（関係づくり）の成果を完全に測れるわけではありません。

私は、広告換算の数値だけに頼らない効果測定が重要だと考えています。たくさん掲載されたとしても、伝えたいキーワードやメッセージが含まれていなければ効果は限定的ですし、狙った相手にちゃんと届いているかも分かりません。そのためにも、誰に何を伝えたいのか、どんな関係づくりを目指すのかを事前にクライアントと確認するようにしています。

PR活動でも面談でも、評価は目標設定の段階から始まっています。上司の希望を正確に把握したり、説明のためのデータを用意したりして、交渉しやすい環境づくりをしましょう。あなたの頑張りが、ちゃんと伝わりますように！

Public Relations
14

バランスよく主張する「考え方と伝え方」

Q　業務改善をして効率よく結果を出したいのですが、仲のいい部署なので、主張しすぎると和を乱しそうで不安です。

業務を効率化したい。でも、問題をはっきり指摘して改善しようとすると周囲から浮きそうで心配。同調するか突き抜けるか……悩ましいですね。何度も転職して、どちらの方法も試した経験がある私が出した結論は「ハイブリッドが一番」です。自分にとって本当に大事なことだけ、言葉を選んで伝えるのです。

POINT 1 譲れること、譲れないことを決める

最初に、あなたが大事にしたいことが何かを整理しましょう。仕事で「これは譲れない」と思うことを書き出します。

たとえば、譲れないことが次の3つの場合。

1. 業務の効率化をはかり、無駄な残業を減らす
2. 資格取得の勉強をするなど、常にスキルアップを目指す
3. 年に1回は、家族でダイビングに行くための休暇をとる

あなたが重視しているのは「ワークライフバランス」と「自己研鑽」です。

自分の仕事をテキパキとこなしたり資格の勉強をしたりは1人でもできますが、業務効率を改善して、休暇を含めたプライベートの時間を十分に確保するには周囲の協力が欠かせません。そのために歩み寄れる部分は何か考えてみましょう。

譲ってもいいことも同じように3つ挙げて整理します。

1. すぐに効率化するのが難しい部分については、従来のやり方と併用でも構わない
2. 飲み会には極力行きたくないが、所属部署の歓送迎会は参加する
3. 自分の休暇に協力してもらう分、他の人が休む時は残業をしてでも積極的にサポートする

この場合、「効率化は部分的なスタートでOK」「場合によって、飲み会や残業も可」なので、周囲から浮かないくらいの協調性は示せるはずです。

整理のコツは、最初に理想の働き方をイメージして、それを実現するためなら何を諦められるか

考えることです。

POINT 2　伝える方法を工夫する

さて、考え方が整理できたからといって安心してはいけません。譲ってあげるという態度では、反発されて協力してもらえなくなる可能性が高いからです。自分の主張を通したい時ほど、相手の立場や感情に配慮するようにしましょう。

本音では「基本的に飲み会には参加しない。家で勉強する方が有意義」と思っていても、「時間の無駄なので行きません」と言うと角が立ちます。誘ってくれた先輩の気分を害してしまうかもしれませんし、参加する予定の同僚にも嫌な思いをさせるかもしれません。

「試験が近くて今回は難しいのですが、来月の新メンバー歓迎会には必ず行きます」と、自分が譲れる範囲（＝部署の歓送迎会）で未来の約束をしたり、「残念ながらその日は先約があるのですが、よかったら、お店探しだけでも手伝いましょうか」と、出席を回避するためなら協力してもいいと思うことを提案したりして、円滑なコミュニケーションを心がけましょう。

あなたに譲れないことがあるように、他の人にもそれぞれ大事にしているものがあります。綱引きのように、自分の側に引っ張ることもあれば、相手に引っ張られることもあるのが普通、と考えると人間関係がスムーズになります。

Public Relations
ミニコラム

#関係づくり　#メディアリレーション

美ら海水族館の広報担当だった頃、年間のメディア対応は1000件を超えていました。取材をしてもらえるのは本当にありがたいのですが、依頼の中には、安全上の理由から受けられないものもあります。施設としてはまさに「譲れない」部分ですが、私は、断る場合でも「潜水撮影は難しいのですが、先月、水族館スタッフが撮った映像ならご提供できます」など、代替案を出すようにしていました。

希望が通らず撮影そのものがなくなってしまうケースもありましたが、ベストな方法を一緒に考えようとする姿勢が伝わると、ほとんどのメディアが前向きに取材内容を変更してくれました。当時20代の私にとって、社内外の意見を取りまとめるのは本当に大変でしたが、相手のことを想像して最適な提案を考えるという、ＰＲの基本を学ぶ貴重な経験ができたと感じています。

関係づくりは、自分の考えを押し通すか、相手に合わせて我慢するかの二者択一ではありません。

お互いに譲りあえる部分が分かれば、どちらの希望も叶えることができます。

周囲の人との関係も大切にしたいと考えているあなたなら、きっと最適なバランスを見付けることができると思います。

Public Relations

15

努力が評価されやすくなる「提案の仕方」

Q　企画職です。上司が同僚の提案ばかり評価するのが不満です。どうすれば、自分の意見をちゃんと聞いてもらえますか。

せっかくの提案、ちゃんと聞いてほしいですよね。

私があなたでもそう思います。

ただ、誰が言うかで判断が変わるのは自然なことでもあります。

たとえば、食に興味がない金城さんとグルメな宮城さんがいたら、おすすめのお店は宮城さんに聞きたくなりませんか。

状況を変えるために上司への伝え方を工夫するのはどうでしょう。

POINT 1　まずは、あなたの「見え方」を確認

あなたは今、上司にとってどんな部下だと思いますか。考えたこともない……なんて言わずに、日頃の反応や、評価面談などで言われたことなどから予想してみましょう。ここでは、あなたが上司に「発想はいいが、説明が分かりにくい」と思われている設定で話を進めます。

話を聞いてもらうためには、あなたが足りないと思われている部分を補う必要があります。

例を挙げてみましょう。

・企画の目的やメリットが1枚で伝わる資料を準備する
・提案の前に、「今日は、3分で概要をご説明できるよう整理してきました」と伝える
・上司に余裕があるタイミングで話しかける、または、事前に約束して時間をもらう

こうした工夫で、「聞いてみよう」という気持ちを引き出すのです。

1回で評価を変えるのは難しいですが、少しずつ改善できれば、徐々に印象が上書きされていくはずです。

「最近、提案が分かりやすくなったな」と思われれば、あなたの意見に耳を傾けてもらいやすくなります。

同僚と自分を比べるのではなく、上司と自分の関係を変えることに意識を向けましょう。

POINT 2　影響力のある人の力を借りる方法も

そうはいっても、実際には、上司が好き嫌いで部下への態度を変えていたり、あなたが過去に大

きな失敗をして信頼を失っていたりと、一筋縄ではいかないケースもあるでしょう。

そんな時は、影響力のある人経由でのアプローチが有効です。

身近に「上司が一目置いている人」はいませんか。相談に登場した同僚がまさにそうだと思いますが、頼りたくない場合は、他にもそんな人がいないか探してみましょう。

もし運よく見付かったら、あなたの提案をその人から上司に話してもらうのです。

●あなたが提案した場合

あなた「提案があります」
上司「(うーん、いつも分かりにくいし長いんだよなー) ちょっと時間ないから後にしてくれる?」
あなた「はい……(なんだよ、別の人の提案なら聞くのに!)」

●影響力のある人（宮里さん）が提案した場合

宮里さん「提案があります」
上司「（宮里は前回のプランもよかったし、ちょっと興味あるな）10分くらいなら大丈夫だよ」
宮里さん「ありがとうございます。5分で概要をご説明して、詳細はメールでお送りします。こちらが……」
上司「（さすが、分かってるな）」

普段の評価や信頼は、遊園地のファストパスのようなものです。持っていると他の人より速く目的地に着くことができます。影響力のある人の力添えで最初の壁を突破したら、その後は発案者として打ち合わせに加えてもらうなど、少しずつプロジェクトにも関わり、あなた自身の評価アップにつなげていきましょう。

自分でできる努力は続けつつ、すぐに変えられない部分では仲間の力を借りる。助けてくれた人には別の形でお返しすることを心がける。その繰り返しで、状況は少しずつ変わっていくはずです。

Public Relations
ミニコラム

#インフルエンサー　#コミュニケーション設計

誰からどんな風に情報が伝わると人の気持ちが動くのかは、PR活動においても重要な部分です。実際に商品やサービスを手に取ってほしい人が、どのメディアから、誰から影響を受けるのかを想像して、最適なコミュニケーションを設計します。

たとえば、県内で働く30代既婚男性に、新しい電子マネーを使ってほしいなら、彼の行動パターンや考え方をリサーチして、影響を与える人やメディアを明らかにします。高校の同級生との模合で情報交換をしているなら模合仲間のクチコミが重要になりますし、妻の意見を重視しているなら先に奥さんから「一緒に使おう」と誘ってもらうのも効果的でしょう。毎日見ているニュースサイトや好きなYouTuberなども重要な情報源になっている可能性があります。

PRでも普段の仕事でも、**相手にどんな風に働きかければこちらが望む行動をしてもらえるのかをイメージするのは大切です。**「チーフ会議で議題にする前に、先輩から根回ししてもらうのはどうだろう」「優秀な同僚とチームを組んで提案したら、興味を持ってもらえるかもしれない」など、あらゆる角度から上司を動かす方法を考えてみませんか。

Public Relations

16

営業力アップにつながる「想像力」の育て方

Q　自社商品の営業をしていますが、上手くいきません。とてもいい商品で、セールスポイントもきちんと説明しているのですが……。

自社商品に思い入れがあるのは素晴らしいことです。ただ、「こんなにいい商品なのに、どうして分かってもらえないんだろう」と感じているなら、あなたとお客様の間に温度差がある可能性が高いです。興味を持ってもらうには、情報を並べるだけではなく、相手に「これは私にぴったりの商品だ」と感じてもらう必要があります。

POINT 1　相手は興味がないという前提で考える

PRのお手伝いをしていると「試してもらえれば、すぐに分かるのに！」と言われることが多いのですが、多くの商品が存在にさえ気付かれず消えていく今、手に取ってもらうのは本当に大変なことです。営業をする時は、自分にとっては魅力的な商品でも、相手は興味がないかもしれないという前提でアプローチ方法を考えましょう。

あなたが扱っているのがスーツケースだとして、皆に同じように「素晴らしい新製品です。14日分の荷物が入るのに軽く、四輪で移動も楽々です。カラーは全20色。持ち手のカスタマイズも可能です。しかも今なら10％オフ……」とまくしたてたらどうでしょう。欲しい人もいるかもしれませんが、自分には必要ない、合わないと感じる人も多いでしょう。
大切なのは、相手の興味に合わせて伝え方を変えることです。

●海外出張が多く、今のスーツケース容量に不満がある大城社長の場合

あなた「大城社長は海外出張によく行かれていますよね。先日SNSでお写真を拝見したら、スーツケース2個持ちと書かれていて驚きました」
大城社長「そうそう。ちょっと容量が足りなくて買い足したんだけどね」
あなた「移動の時、ご不便ありませんか。軽量なのに大容量で、1つで2週間安心！　の最新型スーツケースがあるんですが……」
大城社長「へぇ。1つでいいっていうのは助かるなぁ。どのくらい軽いの？」

●娘にプレゼントしたい屋比久社長の場合

あなた「お嬢さん、大学ご卒業おめでとうございます」
屋比久社長「ありがとう。今ちょうど卒業旅行の行き先を調べてるよ。人と同じところは嫌だって言ってね」
あなた「卒業祝いにピッタリなアイテムがあります。カラーバリエーションが豊富で持ち手のカスタマイズもできるので、オリジナルにこだわる女性に人気があるんですよ」
屋比久社長「いいね。もうちょっと聞かせてよ」

会話は一例ですが、同じ商材でも相手によって強調する点を変えることで、関心を持ってもらいやすくなります。

POINT 2　日頃から営業に使える情報を集める

相手に合った提案をするには、日頃から営業に使える情報にアンテナを立てておくことも大切です。

●社会の関心事をリサーチ

今まさに多くの人が関心を持っていることを知れば、営業活動全体の方向性を決めやすくなります。

〈例〉

外出制限で出張や旅行ができない状況が続き、いつもの営業方法ではスーツケースが売れない。旅に行きたい気持ちや節約志向を意識して、「未来の旅行のために新しいスーツケースを予約する」「自宅では収納スペースとしても使える」という訴求をするのはどうだろう。

●相手の関心事をリサーチ

お客様が関心を持っていることや困っていることから、営業のきっかけをつかむこともできます。

〈例〉
喜久村さんのＳＮＳを見ると、毎年家族旅行に出かけているようだ。帰りはお土産が増えて大変だという投稿があったので、大型スーツケースを片道だけレンタルできるサービスを案内してみるのはどうだろう。

相手の気持ちを動かすには「これは、あなたのための商品ですよ」というサインを送ることが重要です。商品ありきではなく、お客様の視点で考えることを意識しましょう。

Public Relations
ミニコラム

＃営業　＃リサーチ　＃ニーズを理解する

私は２０１７年に沖縄の出版社から『内地の歩き方　沖縄から県外に行くあなたが知っておきたい23のオキテ』という本を出しています（ちょっと宣伝！）。いつか故郷で出版したいと思っていたのですが、ただ出したいと言うだけでは企画は通りません。沖縄の出版社に興味を持ってもらえる方法を考えた結果、私は、２つのポイントを軸にした提案をしました。

1　県内ニーズ

毎年、進学や就職で沖縄から県外に行く人が一定数いるが、なじめずに戻ってくるケースも多い。事前に不安やギャップを解消する情報を必要としている人がいるのではないか。春先に注目してもらえるので話題化もしやすい。

2 私が書く意味

沖縄出身で、最初の上京では挫折したが現在は東京と沖縄で仕事をしている、PR・コミュニケーションの専門家。そういう著者はほとんどいないはず。出版経験もある。

県内で読みたい人が多そうなテーマ、かつ、著者に適任なのは私だと説明したのです。似たような本が他になかったこともあり、すぐに企画にOKが出て、念願の県産本を書くことができました。

営業をする時は、あなたが話したいことではなく、**相手が聞きたいことを想像して話しましょう。**それだけで、あなたが扱う商品の魅力が伝わりやすくなります。

もしよかったら、次の営業で試してみませんか。

Public Relations

17

アイディア豊富な人になる「頭の整理術」

Q　新しいことを考えるのが苦手です。アイディア豊富な人になるには、どんなトレーニングをしたらいいですか。

私がアイディア出しに困らなくなったのは30代前半です（遅めかも）。きっかけは、東京のPR会社に転職して、それまでとは比べものにならないほど企画提案をする機会が増えたことでした。自由自在にアイディアを出すにはコツがあります。PRプランナーとして、日頃から実践していることを「インプット」と「アウトプット」に分けてご説明します。

POINT 1　素材になる情報をインプットする

新しいことを生み出すのは料理に似ています。まずはアイディアの材料を集めましょう。

【情報の集め方】

私は、「興味があり必要なもの」と「興味がないもの」に分けてアンテナを立てています。

● 仕事で関わっているものや個人的に関心のある分野については、常に頭の中にキーワードを置いて（例：働き方、泡盛、アロマ）情報収集しています。人気のSNSアカウントをフォローしたり、関連イベントに足を運んだりして能動的にインプットします。

●それだけでは知識が偏るので、流行をチェックしたり価値観が違う人の世界に触れたりするために、普段あまり接することがない情報に出合える場所に出かけます（例：書店の棚をチェックする、適当な駅で降りて通りすがりの店に入る、メンズのセレクトショップに足を運ぶなど）。

あまり興味がない情報も集めるのは、素材の種類を増やしてアイディアの幅を広げるためです。食材や調味料の種類が多い方が、作れるものが増えるのと同じです。

【整理の仕方】

私は視覚的に記憶することが多いので、情報のストックには画像を利用します。気になる風景をスマホで撮影したり、検索結果をキャプチャーしたりしてメモ代わりにしています。移動中に思い付いたことも、手元の紙に書いたら撮影して保存します。情報を整理する方法は1つではありません。ノートにメモする、録音するなど、あなたにとって負担にならない方法を選ぶと続けやすくなります。

POINT 2　アウトプットを繰り返す

意識的にインプットをすると情報量は増えますが、集めたものをただ並べるだけではアイディアを出したことにはなりません。自分の考えを付け加えたり、いくつかを組み合わせたりしてアレンジする必要があります。発想する時のヒントになる方法を3つご紹介します。

● ひっくり返す

例：カロリーを気にする人向けのヘルシー食堂が流行っている。これを逆に、カロリーをたっぷりとってストレス発散するというコンセプトの食堂にするのはどうだろう。

● 混ぜ合わせる

例：コインランドリーとヨガが流行っている。両方組み合わせて、待っている間に簡単なヨガプログラムを流すのはどうだろう。

●置き換える

例：フラワーアレンジメントをスイーツに見立てるのはどうだろう。ショーケースに生菓子のように並べて、保冷剤やスプーン型のメッセージカードも付けると面白いかもしれない。

どれも簡単で使い勝手のいい方法です。他にもやり方はありますが、まずはこの「ひっくり返す」「混ぜ合わせる」「置き換える」を使って練習するのがおすすめです。回数を重ねるほど上手くなるので、目に入ったものや興味のある分野で「このヒット商品をひっくり返したら？」「音楽と料理を混ぜ合わせたらどうなる？」のように考えるクセをつけましょう。

Public Relations
ミニコラム

#情報収集　#企画

「これについてどう思いますか？」
「〇〇のアイディアありませんか？」

どちらも毎日のように投げかけられる質問です。そのすべてに、集めた情報と考えたことを組み合わせて回答します。検討する要素の数や種類はまちまちですが、**いくつかの素材をアレンジして何かを生み出すという点は共通しています。**

アイディア出しが苦手だった頃は、次々と新しいことを思い付く同僚が天才マジシャンのように見えたものです。自分なりのインプットとアウトプットのコツをつかめた今は、急に会議に呼ばれても慌てることはありません。やり方さえ分かれば、自分でもマジックを練習することはできるのです。

アウトプットの機会を増やすと、自動的にインプットのスピードも上がるので、企画会議などには苦手意識を持たずにフットワーク軽く参加しましょう。自分がよく知っている分野を軸にすれば発想しやすくなりますし、「あの人は○○に詳しい」と評価されれば、得意分野で発言できる機会が増えてアイディアがさらに出やすくなります。

Public Relations
18

モチベーションを上げる「セルフ給油」

Q　最近、仕事のモチベーションが上がりません。やる気を出す方法が知りたいです。

シンプルな質問ですね。あなたが車なら、モチベーションはガソリンのようなものです。仕事をするための動力のひとつであり、車に合ったものを自分で補給しないといけません。じっとしているだけで誰かが給油してくれることは滅多にないからです。

POINT 1 「満タン」を目指さない

最初に確認です。あなたが思う「モチベーションが上がった状態」はどんなものですか。仕事が楽しくて朝が来るのが待ち遠しい、ルーティンにも前向きに取り組むことができ、常にエネルギーに満ちあふれている……。もし、そんなイメージなら、目標設定が高すぎるかもしれません。

まずは、設定を見直すことから始めませんか。頑張ろうとしているのに目標を下げるなんておかしいと思うかもしれませんが、車は満タンにしなくても走れます。ガソリンの価格やスタンドに立ち寄るタイミングなどを勘案して給油するように、モチベーションも適度にチャージする方が燃費よく働き続けられます。極端なことを言えば、ガス欠にならなければOKです。気分や体調で仕事にムラを出さずに走ることを基本設定にして、それ以上は「前向きになれたら、ラッキー」くらいに考えるのはどうでしょう。

私もあなたも、これからしばらくの間は働くはずです。燃費よく安定的に走ることを目指した方が、しっかり仕事に取り組むことができます。とにもかくにも、「モチベーションは常に高くなくてはいけない」という思い込みを捨てましょう。

POINT 2　セルフ給油の習慣をつける

ここからは、自分に合った燃料や給油方法を探していきます。

●自分の燃料を知る

そもそも、何があるとモチベーションが上がるか分からなければ、工夫のしようがありません。出張でいろいろなところに行けると頑張れる、接客業務が好きでやりがいを感じるなど、「これがあると、やる気が出る」という要素を洗い出しましょう。人事異動など他力本願なものではなく、自分で実現できる可能性があるものが望ましいです。

●燃料のチャージ場所や方法を探す

やる気の源が分かったら、それを手に入れる方法を考えます。出張のあるプロジェクトに参加希望を出す、休暇を取って初めての国を訪れる計画を立てる、社外と交流が多い部署と接点を持つなど、具体的なアクションを起こしましょう。

●小さい楽しいことを増やす

もし、給油プランが思うように進まないなら、気分が落ち込まないように、1日を心地よく過ごすための小さな工夫をします。テンションが上がる文具を使う、会うと前向きになれる同僚とランチに行くなど、メインの給油プラスアルファでできることを取り入れるのです。

自分の好きなことや考え方のクセを知ると、モチベーションを上手くコントロールできるようになります。

Public Relations

ミニコラム

#モチベーション　#自己管理

ＰＲ会社にはさまざまな相談が持ち込まれますが、すべての分野に精通したプランナーはいません。課題解決には共通する部分も多いので、どんなテーマでもプランニングは可能なのですが、自然と興味が湧く分野以外の勉強をする時は、自分を上手く動機付ける必要があります。

私の苦手分野は「車」です。たとえ話に何度も使っておいてなんですが、信じられないほど運転が下手な上にメーカーにも疎く、好きな車種を聞かれて「青！」（それは色）と答えて呆れられるほどの車音痴でした。そんな私が、あるとき、鈴鹿サーキットのレースイベント担当になったからさあ大変！　真っ青になりながらも「貴重な勉強ができる」「経験値アップで仕事の幅が広がるかも」「苦手を克服する体験が次に活きる」と、自分に言い聞かせてなんとか乗り切りました。長いＰＲ人生の中でも記憶に残る辛さでしたが、なけなしのモチベーションをかき集めて完走するという貴重な経験ができました。

もし、自分が頑張るための燃料が何か分からないなら、**探す範囲を職場だけではなくプライベートまで広げてみましょう。**

キャンプが好きなら仕事でアウトドア企画を立てる（あわよくばキャンプ場視察に行けるかも）、ゲームが得意なら資格試験に挑戦する（ゲームのようにレベルアップが実感できて楽しいかも）など、あなたを動かすヒントがどこかに隠れているかもしれません。

Public Relations

19

会議で「発言できる自分」になる方法

Q　会議など大勢の人がいる前で発言するのが苦手です。一言も発しないまま終わることもあります。どうしたら変われますか。

たくさんの人の前で自分の意見を言うのは緊張しますよね。私も、以前は、ちゃんとしようと思うほど体がこわばって、会議室の隅で小さくなっていました。

でも、大丈夫。いくつかのコツを押さえて場数を踏めば、少しずつ慣れることができます。一緒に作戦を練りましょう。

POINT 1　最初に全体像を理解する

会議はサッカーに似ています。運動は大の苦手ですが、思い切ってこのたとえで説明してみたいと思います。

●ゴールがある

サッカーにも会議にも向かうべきゴールがあります。最初に、「今日は○○を決める」「この方向で議論をする」といった大きな方向性を確認しましょう。それぞれが意見のパスを出し合い、協力してゴールを目指せばいいと考えれば、少しだけ気持ちが楽になりませんか。

●ルールがある

守るべきルールがあるのも共通しています。会議なら、指定の日時に集まる、議事録を残すなど一般的なものから、暗黙の了解で席が決まっているなど会社独自のものまで、さまざまでしょう。勝手が分からない場合は、慣れている人に会議のルールを確認しておくと安心です。

●1人1人に役割がある

ルールを守って皆でゴールを目指しますが、各自に持ち場があることを忘れてはいけません。営業担当は売上データを基に説明する、部長は最終判断をするなど、それぞれに期待されている役割があるはずです。自分が招集された理由が分かれば、求められる発言の方向性が見えてきます。

デビュー戦からいきなり華やかなプレーをしようと意気込む必要はありません。

慣れるまでは、ゴールを確認し、ルールを守り、自分の持ち場で手堅く貢献することを目指しましょう。

POINT 2 緊張をほぐすためにできること

考え方だけを聞いても緊張は消えない……という方のために、スムーズに試合（会議）に参加するコツを5つご紹介します。

●少し早めに会議室に行く

5分前集合は心のゆとりにつながります。遅刻して言い訳をしたり、ギリギリに到着して慌てて席を探したりしなくて済むように、余裕をもって会議室に入りましょう。

●事前に資料を読み込む

資料はヒントの宝庫です。

「前回、議題になっていた○○ですが……」

「事前にいただいた配布資料で1点気付いたことがあります」

のように話し始めれば、落ち着いた印象を与えることができます。

●ウォーミングアップをする

急に指名されて焦らないように、常に自分の考えをまとめておきましょう。

賛成か反対か、その理由は何か、気になる点はあるかなど、頭の中にあるものを書き出しながら人の話を聞くようにします。

●協力者の力を借りる

会議はチームプレーです。

1人で頑張らず、得意分野で話を振ってもらえるように司会にお願いしたり、フォロー上手な先輩の近くに座ったりするなど、発言しやすい環境を整えましょう。

● 失敗しても落ち込まない

プロのサッカー選手でもミスはします。考えを上手く説明できなかった、反応が悪かったという場合も、あまり気にしないことです。まずは、参加することに意義があります。

会議に呼ばれるのは、あなたの意見が必要とされているからです。

ランチタイムに同僚とおしゃべりしている時の自分を思い出して、できるだけリラックスした状態で参加しましょう。

コツを実践して少しずつ実力を発揮できるようになれば、会議が楽しくなってくるはずです。

Public Relations
ミニコラム

#会議　#予測して動く

会議に限らず、仕事には準備が欠かせません。

東京のＰＲ会社で働いていた頃は、毎日が「備えよ常に！」でした。

発表会後は問い合わせが増えるので予想される質問と答えをまとめた表を作って電話のそばに置く、イベント終了と同時に事後リリースを出せるように写真の部分だけをあけた原稿を作ってクライアントの確認を取っておくなど、常に少し先を見て最短ルートでゴールまで走ることが求められました。

上京した当初はピリピリした空気になじめず「そこまでしないとダメ？」と思っていましたが、準備した方が結果的に楽になる（し、そうしないと仕事が終わらない）と気付いてからは、常に予測スイッチＯＮで動くようになりました。

独立してからも、

「視察後は報告書の提出があるから、作成のために1時間あけておこう」

「出張中に見積もり依頼がきてもいいように、押印したフォーマットを用意しておこう」

など、**起こりそうなことをイメージしてスケジュールを組んでいます。**

そこまでは必要ないよという方も、慣れない仕事の時はしっかり準備することをおすすめします。シミュレーションをするとミスが減りますし、「これだけやったんだから」という自信が、頑張るあなたのお守りになるからです。

Public Relations

20

仕事できるねと言われる「的に当てる」技術

Q　上司の指示通りに書類を作ったつもりが「なんか違う」「もっと早く相談してほしかった」と言われ、困っています。

上司の指示が曖昧な可能性もありますが、もしあなたが他の人からも同じことを言われるなら、頑張る部分が少しズレているのかもしれません。的にバシッと当てるには、押さえるべきポイントがあります。「そうそう、こういうのがほしかった！」と評価されるためにできることをご紹介します。

POINT 1　作業に取りかかる前に確認する

書類を作るように言われたら、最初に「完成形」「精度」「納期」を確認しましょう。ここをはっきりさせておかないと、その後の作業が無駄になってしまいます。

●何がほしいのか（完成形）

最初に、上司の頭の中にある完成イメージを共有します。

見本があれば分かりやすいですが、難しい場合は

「エクセルＡ４横１枚で、広報チームの１ヶ月分のシフト表を作る。メンバーごとに色分

けして、出勤予定日に◎を付ける……ですね」のように仕様の確認をします。

●どのレベルが求められているか（精度）

期待されている完成度を理解するのも大事なポイントです。会議用の資料を作る場合でも、上司が手元で見るメモ程度のものでいいのか、そのまま参加者に配布できるレベルかによって、仕上げにかける時間が変わります。

●いつまでにほしいのか（納期）

提出期限も明確にします。

できるだけ早くなど、指示が曖昧な場合はそのまま受け取らずに「週明け、月曜日の正午までにメール提出でよろしいですか」のように確認します。

修正が入る可能性が高いなら、締切前に一度見てもらう約束をするのもよいでしょう。

この3点をクリアにするだけでも、「この書類、なんか違う」と言われる確率を下げることができます。

POINT 2 必要なこだわりを見極める

上司のもう1つの不満「もっと早く相談してほしかった」からは、途中で聞いてくれたら軌道修正できたのに、なぜ1人で進めたのかというニュアンスを感じます。もし、あなたが遠慮しただけなら次回から早めに相談すればOKですが、問題なく進めているつもりだったなら要注意です。

時間をかけて丁寧に仕上げたのに完成度が低いと言われる際に多いのが、的外れな努力をしているケースです（厳しい言い方をしてごめんなさい）。注文されたのがステーキセットで、上司は肉の焼き加減にこだわっているのに、あなたがレタス1枚の配置に気を取られていたら、結果として無駄な時間を使ったことになってしまいます。そうならないためには、メイン以外はカットしたり後回しにしたりする思い切りのよさが必要です。

〈例〉

上司「急で悪いんだけど、営業会議で説明しなきゃいけないから、新商品パンフレットのリニューアル案の資料まとめて。会議は明日の午前中だから、今日中にもらえる？」

あなた「分かりました。スピード優先で、リニューアルするポイントが一覧できればいいですか？」

上司「うんうん、ざっとでいいから」

あなた「今日の17時までに、Ａ３のコピー用紙１枚に現在のパンフレットを貼り、大きな変更点だけ書き出したものをご用意します。差し替えやすいように、変更点のメモは付箋に手書きしようと思うのですが」

上司「ＯＫ。後はこっちで直す。足りないところは会議中に口頭で説明するから。ありがとう」

この場合スピード優先なので、そもそも美しい資料を丁寧に作るという選択肢はありません。「お腹すいた！　何か食べるものない？」と言っている相手に、２時間かかる煮込み料理は作りませんよね。

あなたの貴重な時間と労力は、一番大事な部分に使いましょう。

Public Relations
ミニコラム

#ゴールの共有　#ニーズを理解する

相手がほしいものをパッと出す力は、PRのさまざまな場面で役立ちます。会社案内ひとつとっても、渡す相手が就職希望の学生と業界誌の記者では、準備する資料や説明の仕方が異なります。メディアに使いにくい写真素材を送ってしまったら掲載が見送りになるかもしれません。

もし、あなたが急に会社の広報担当になり、何を揃えたらいいのか分からないなら、**使用頻度の高いものから用意しましょう。**Ａ４サイズの会社概要、代表者の顔写真、会社のロゴマーク、主力商品や施設の写真など提供可能な素材をフォルダに入れ、いつでも取り出せるようにしておくのです。社名の由来など、よく聞かれることと答えをまとめた資料もあると便利です。ある程度揃ったら、後は必要に応じてストックしていきます。相手がほしいものをすぐに理解するには、日頃から考えるトレーニングをすることも重要です。簡単な資料でも完成図をイメージしてから作り始める、新聞記事を読んだら「もし、これが自社への取材なら、どんな情報提供が必要だろう」と想像してみるなど、常に求められているものを考えるクセをつけましょう。勘どころがつかめてくると、社内外のさまざまなリクエストにサッと応えられるようになります。

最後に「PRプランナーって、どんな仕事をしてるの？」にお答えするため、簡単ですが事例を4つご紹介します。＊依頼主の特定を避けるため、業種や場所などの設定を一部変更しています。

CASE1

【次の仕事の声がかかる人になりたい】

依頼主……独自に考案したエクササイズで人気者になったタレント

悩み……出会いが次の仕事につながらず、ブームで終わりそうで不安

↓

要望……会話がはずみ、専門家として印象に残るツールを作りたい

↓

解決策　名刺を「次の仕事につながるコミュニケーションツール」と位置づけて提案

6．得意分野を活かして「印象に残る人」になる

本文52ページ参照

●オリジナルエクササイズのポーズ写真を入れ、一見して「○○の人」と分かるようにする

●ポーズ写真は、簡単なものを数種類プリントしてランダムに配ることで、会話が盛り上がる仕掛けをする

●裏面に仕事にかける思いや実績を入れて、共感や具体的な仕事の依頼につなげる

結果……新しい名刺は大好評で「このポーズ、どうやると効くんですか?」「プロフィール拝見しました。企業研修もされているんですね! 今度ご相談したいです」など、会話が弾んで次のオファーにつながる機会も増えたそうです。

メモ……名刺のような一般的なアイテムも、アイディア次第で、あなた自身や会社の魅力を伝える立派なPRツールになります。どうなれば成功かをイメージして工夫してみましょう。

3. 説明上手への近道「大から小へ」テクニック
本文30ページ参照

11. 自己紹介が上手くなる「ストーリー術」
本文82ページ参照

CASE2

【誰も知らない小さな店を有名にしたい】

依頼主……沖縄に1店舗しかないセレクトショップ

悩み………起業したものの、どうやって発信したらいいのか分からない

要望………ショップをブランディングして国内外で知られる存在になりたい

解決策　地方に1店舗しかないことを逆手に取り、知る人ぞ知る隠れ家ショップとして、影響力のあるメディアとインフルエンサーに訴求。クチコミでの拡散を狙う

16．営業力アップにつながる「想像力」の育て方
本文114ページ参照

●物語のある一点物のビンテージだけを扱うというコンセプトを印象的なキャッチコピーとしてまとめる

●メディアの編集者が思わず開封したくなる、スタイリッシュな写真と手書きの一言を添えたプレスリリースを送付

●インフルエンサー行きつけのギャラリーで展示会を開催。商品のストーリーやインパクトのある写真をシェアしてもらう場を作った

結果……訴求する魅力と働きかける相手を絞り込んだコミュニケーションで、わずか数年で広告換算1億円以上のメディア露出を獲得。オーナーの夢だった有名ブランドとのコラボも実現し、東京への出店も果たした。

メモ……小さなお店でも、強みを探して際立たせ、丁寧なコミュニケーションをすれば、特別な存在になることができます。自分たちにあるものとお客様像をイメージして、できることから始めましょう。

1．要約する力がつく「一言まとめ」トレーニング
本文18ページ参照

13．成果が見えやすくなる「目標共有」のコツ
本文96ページ参照

CASE3

【企業から指名されるアーティストになりたい】

依頼主……貝殻で作品を作るアーティスト

悩み…………デビュー10年になるが、依頼される仕事の規模が大きくならない

要望…………大企業や人気施設から注文が入るようにしたい

解決策　本人のブランドを再整理。写真、プロフィール、SNS投稿、ウェブサイト、ポートフォリオなどを総点検して、実績とセンスが伝わるコミュニケーションを実施

●統一感のない写真や曖昧な文章表現をやめ、SNS投稿のクオリティを上げた

●理想の依頼主と仕事をイメージして、目に留まりやすい事例を分かりやすく整理したホームページを作成

●競合の成功事例も参考にしつつ、海外コンペ参加や和文化コラボなど差別化につながる活動を実施

結果……誰が見ても「空間演出も手掛けられる貝殻アーティスト」と分かるようになったことで、企業からの問い合わせが急増し、規模や金額の大きい依頼を受けられるようになった。

メモ……相手に望む行動をしてもらうには、自分のことをちゃんと理解してもらう必要があります。「伝えたつもり」で終わらず、考えられる限りの工夫をしましょう。SNSの発信ひとつでも印象は変わります。

9．SNSの使い方は「編集長」になったつもりで
本文70ページ参照

12．初めての仕事を効率よく覚える「事例研究」
本文90ページ参照

7．初対面の緊張が和らぐ「簡単リサーチ」
本文58ページ参照

CASE4

【飲む人が減っている薬草酒を買ってもらいたい】

依頼主……顧客離れに悩む薬草酒メーカー

悩み………クセのある味を好む人が減り、売上が下がっている

要望………「これじゃなきゃダメだ」と思って、買い続けてもらえるようになりたい

←

解決策　モノ（お酒）ではなく、コト（家族で作っている物語、薬草園の魅力など）を訴求して、飲むことでつながりたい、応援したいという関係づくりをする

●頻繁に行っていた新製品開発やボトルデザイン変更をやめ、主力商品と訴求するポイントを絞り込んだ

●「家族で作り、仲間と飲むお酒」というメッセージを軸に、薬草園見学やファン交流会を企画した

●ファンを飽きさせない季節のおたよりとSNS限定グループで、継続的な関係づくりと定期購入を促進した

結果……お客さんが求めているものを第一に考えた関係づくりにより、買い続けてくれるファンの獲得に成功。継続的な売上アップにつながった。

メモ……予算や人など自社の資源を重要な部分に集中させて差別化したことで、コアなファンの心をつかむことができました。使える資源が限られる組織ほど、何をするか、しないかの判断が重要です。

2．思わず参加したくなる「イベント企画」の作り方
本文24ページ参照

17．アイディア豊富な人になる「頭の整理術」
本文122ページ参照

10．関係がよくなる「与える」コミュニケーション
本文76ページ参照

おわりに

最後までお読みくださり、ありがとうございます（偶然ここを開いた方も、ありがとうございます）。

この原稿は、那覇の自宅で書いています。出版が決まった時、私は、東京・沖縄を月に何往復もしながら仕事をしていました。最初は、移動の多い仕事の合間に十分な執筆時間がとれるか心配していたのですが、新型コロナウイルスの影響で、全国各地で予定されていた講演会やイベントはすべて延期・中止になり、出張の計画も白紙に戻りました。先が見えない不安の中、「やーぐまい（家にこもる）期間に書かないで、いつ書くんだ！」と自分を励ましながらペンを走らせました。

ありあまる時間で考えたことは、これから先、人と人の関係はどうなるのだろうということです。多くの仕事やサービスがオンラインで代替されたり、都市部に人が集中するワークスタイルが変わったりするなど、さまざまな予測がありますが、私は関係づくりの大切さは変わらないと考えています。むしろ、実際に会うことの重要性が増したり、新しいツールで自社（自分）の魅力を伝える必要が出てきたりと、コミュニケーションについて考える機会は増えていくでしょう。ＰＲ（関係づくり）は、企業にとっても個人にとっても欠かせないものになるはずです。

人と距離をとらなければいけない中、あらためて感じたのが、故郷・沖縄の温かさでした。ＰＲ講座への参加を予定していた県内のクライアントは「再開を楽しみにしているからキャンセルはしない。最高の授業を期待しています」と声をかけてくれ、沖縄の教え子たちからは毎週のように手紙やメールが届いています（みんな、ありがとう）。県外で仕事をしていると、うちなーんちゅはノンビリしている、物事をなぁなぁにすると言われることもありますが、ゆいまーる（助け合い）の精神は、それを補って余りあると感じました。先が見えない時代、私たちが大切にしてきた「お互いさま」の考え方は、これからの関係づくりのベースになるはずです。

私にとって2冊目となる県産本は、主に沖縄県内で働く方に向けて書きました。ＰＲの考え方や手法から、仕事の進め方や周囲の人との関係づくりのヒントをお届けできたらという思いを込めています。ＰＲ経験を基にビジネスパーソンの相談に答えるのは初めてで、言葉足らずな部分もあったと思いますが、仕事で悩んだり立ち止まったりした時に何か1つでも役に立つ情報が見付かるよう、いろいろな分野の20個の質問に回答しています。

誰にも会わず、ずっと家で原稿を書いていると、独りよがりになっているのではと不安になることもありました。それでも一定のリズムで書き続けられたのは、会って話しているようなテンポと温度感で励ましてくれた編集者の喜納さんと、県内で働く人の視点でアドバイスをくれた吉戸ゼミ（ＰＲ塾）生の粟國さん、玉城さんのおかげです。本当にありがとうございました。小さな書斎づくりを全力でサポートしてくれた家族にも感謝しています。

沖縄は狭いので、きっと、読者の皆さんにお会いできる機会もあると思います（道端とか、イベントとかで）。その時は、ぜひ、好きな項目を教えてください。そして、これからの関係づくりの話をたくさんしましょう。あなたの仕事や会社のＰＲに、この本が役立つことを心から願っています。

吉戸《よしど》 三貴《みき》

PR プランナー／株式会社スティル代表取締役。沖縄県那覇市生まれ。慶応大学卒業後、県の奨学金でパリに留学。帰国後 PR の世界へ。美ら海水族館広報、東京の PR 会社をへて 2011 年に起業。日本初の広報・情報学修士号を取得し、沖縄・東京を拠点に企業・自治体のコンサルティングや研修を行う。働き方やコミュニケーションに関する講演・執筆の機会も多く、沖縄では PR・ブランディング講座「吉戸ゼミ」を開催。教え子の活躍を見るのが一番の楽しみ。著書に『内地の歩き方　沖縄から県外に行くあなたが知っておきたい 23 のオキテ』（ボーダーインク）ほか。

沖縄ビジネスパーソンのための 悩み解決に役立つ PR的思考術

for Okinawan Business Person

初　版　2020年 11月 11日発行
著　者　吉戸三貴
発行者　池宮紀子
発行所　（有）ボーダーインク
〒 902-0076　沖縄県那覇市与儀226-3
電　話 098（835）2777
ＦＡＸ 098（835）2840
印　刷　でいご印刷